KT-371-838

Madame
Poipoi

Monsieur
Henri

Gino
Marto

Rémi
Lepoivre

Adrien
Dubouchon

Mélanie
Lano

Tom-Tom et Nana

Toujours plus fort !

Scénario : Jacqueline Cohen, Évelyne Reberg
Dessins : Bernadette Després - Couleurs : Catherine Viansson-Ponté

Marie-Lou
Dubouchon

Yvonne
Dubouchon

Nana
Dubouchon

Tom-Tom
Dubouchon

Libérez Nana !..............................5

Au voleur !..................................15

Boul-bouch-pharm.....................25

Allô, Lolotte ?..........................35

Par ici, les euros !....................45

Vive les mariés !........................55

Trop mimi...................................65

Sauvons Papouille !..................75

Tout, mais pas ça.....................85

© Bayard Presse *(J'aime Lire)*, 1985
© Bayard Éditions / *J'aime Lire*, 2009
ISBN : 978-2-7470-1407-6
Dépôt légal : janvier 2004
Droits de reproduction réservés pour tous pays
Toute reproduction, même partielle, interdite
Imprimé en France par Pollina - L66742G

Libérez Nana!

11

Au voleur !

19

Boul-bouch-pharm

33

Allô, Lolotte?

Par ici, les euros !

Vive les mariés!

Tom-Tom et Nana : Toujours plus fort !

Trop mimi

73

Sauvons Papouille !

Tout, mais pas ça

Tom-Tom et Nana : Toujours plus fort !

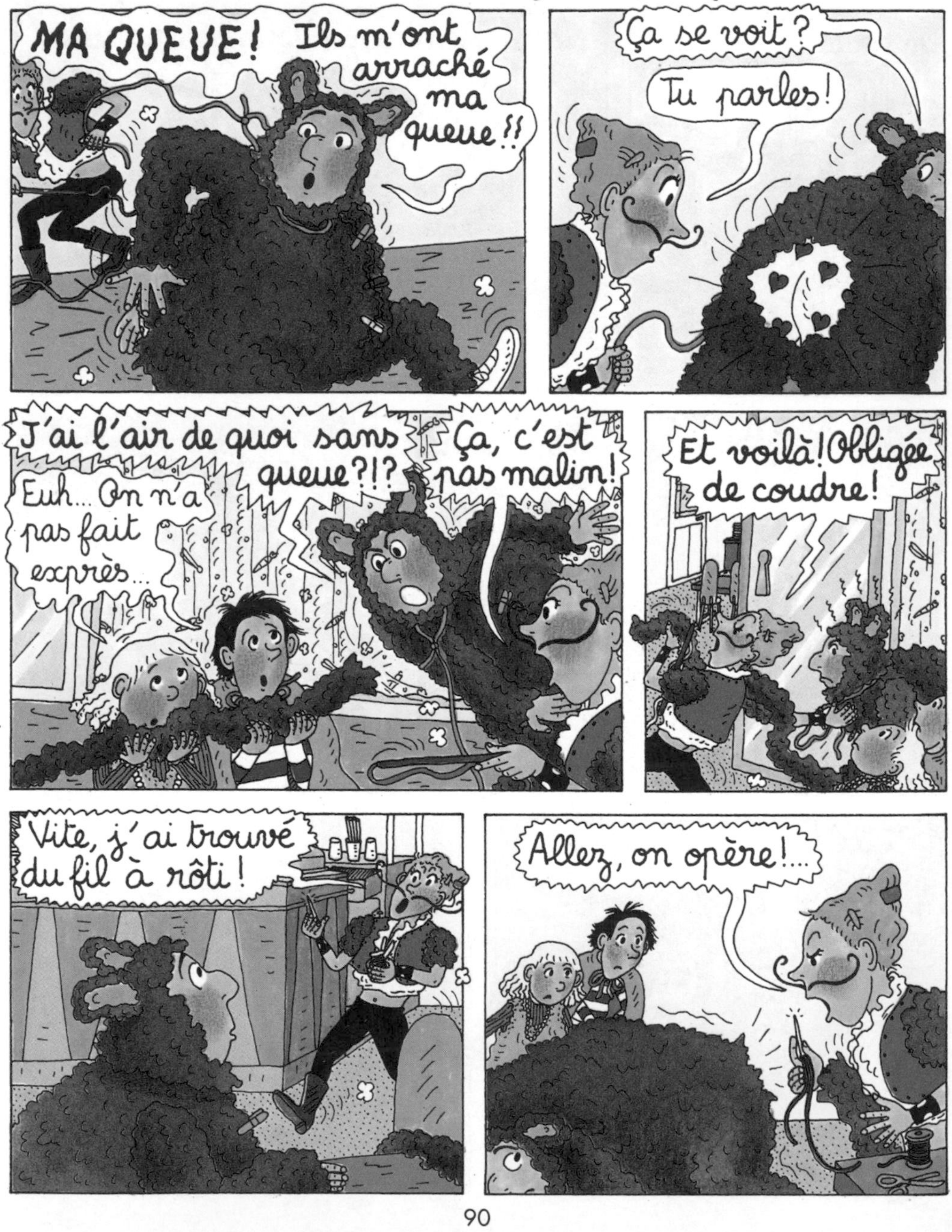